鼓笛バンド

Jポップ ファン

ATN, inc.

はじめに

クラスでも部活でも演奏できる小編成の鼓笛合奏を、オリジナル曲のイメージをできるだけ再現しアレンジしました。

楽しいリズムにのせて、時には歌と一緒に演奏を、また躍動感あふれるパレードで楽しみましょう。

この曲集は、教える音楽から、楽しんで育む音楽へと、自主的にアンサンブルに取り組むための魅力的な曲集といえるでしょう。

演奏にあたって

難しい調の曲については、原曲のイメージを損なわない程度に移調してあります。歌と一緒に演奏するとより楽しくなるでしょう。

同じ音が細かく続いているメロディーは、演奏しやすい符割りにしてあります。

鍵盤ハーモニカ（アコーディオン）の重音が難しい場合は、二声に分けて演奏しましょう。

曲のテンポは、原曲より少し遅く指定してあります。

鼓笛バンド
Jポップ ファン
もくじ

編曲／中村 晴子

選曲に便利な「曲目索引カタログ」を用意してあります。エー・ティー・エヌまでご請求ください。
ホーム・ページ **http://www.atn-inc.jp** でもご覧いただけます。

いつも何度でも 【歌：木村 弓】

木村 弓：作曲　中村 晴子：編曲

いつも何度でも ③

いつも何度でも ⑤

いつも何度でも ⑦

おは！かぞえうた

【歌：角田 師範 with 番長】

市川 昭介：作曲　中村 晴子：編曲

12

おは！かぞえうた ②

14

おは！かぞえうた④

おは！かぞえうた ⑥

18

おは！かぞえうた ⑧

慎吾ママの学園天国～校門編～　【歌：慎吾ママ】

井上 忠夫：作曲　中村 晴子：編曲

慎吾ママの学園天国 ③

24

慎吾ママの学園天国 ⑤

26

慎吾ママの学園天国 ⑦

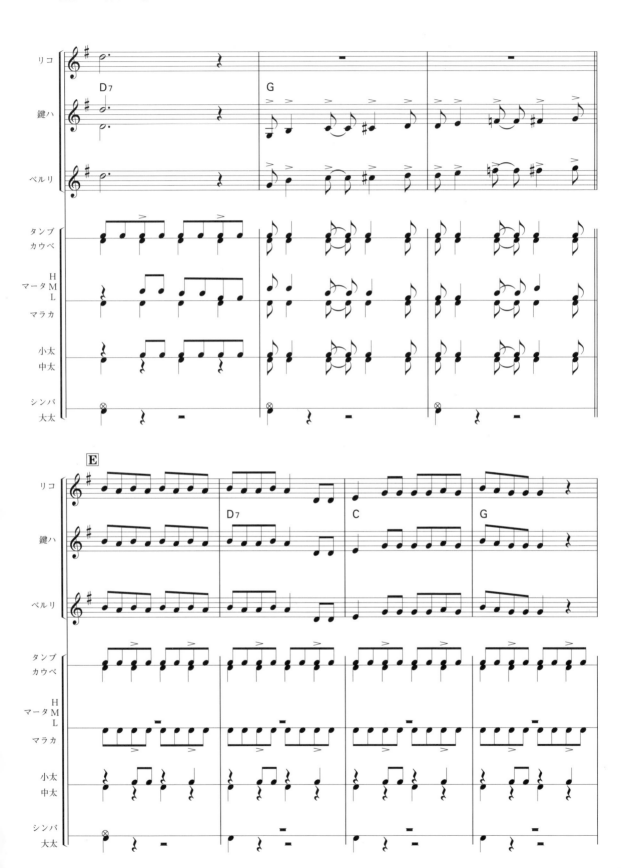

28

慎吾ママの学園天国 ⑨

白い恋人達　【歌：桑田 佳祐】

桑田 佳祐：作曲　中村 晴子：編曲

白い恋人達 ②

32

白い恋人達 ④

白い恋人達 ⑥

君の前でピアノを弾こう 【歌：河村 隆一】

ЯK：作曲　中村 晴子：編曲

38

君の前でピアノを弾こう ③

40

君の前でピアノを弾こう ⑤

君の前でピアノを弾こう ⑦

ああ人生に涙あり

【歌：里見 浩太朗】

木下 忠司：作曲　中村 晴子：編曲

ああ人生に涙あり ③

48

あ人生に涙あり ⑤

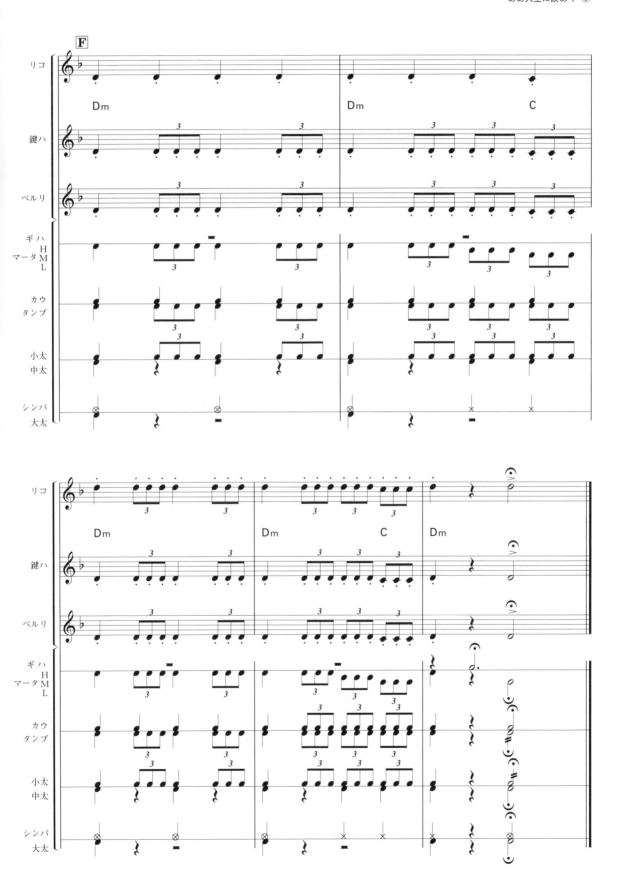

箱根八里の半次郎

【歌：氷川 きよし】

水森 英夫：作曲　中村 晴子：編曲

箱根八里の半次郎 ③

箱根八里の半次郎 ⑤

TSUNAMI 【歌：サザンオールスターズ】

桑田 佳祐：作曲　中村 晴子：編曲

56

TSUNAMI②

TSUNAMI ④

TSUNAMI ⑥

61

明日があるさ 【歌：ウルフルズ／Re: Japan】

中村 八大：作曲　中村 晴子：編曲

66

明日があるさ ③

明日があるさ ⑤

明日があるさ⑦

明日があるさ ⑨

74

明日があるさ ⑪

いつも何度でも／歌：木村 弓　作詞：木村 弓

呼んでいる　胸のどこか奥で
いつも心躍る　夢を見たい

かなしみは　数えきれないけれど
その向こうできっと　あなたに会える

繰り返すあやまちの　そのたび　ひとは
ただ青い空の　青さを知る
果てしなく　道は続いて見えるけれど
この両手は　光を抱ける

さよならのときの　静かな胸
ゼロになるからだが　耳をすませる

生きている不思議　死んでいく不思議
花も風も街も　みんなおなじ

呼んでいる　胸のどこか奥で
いつも何度でも　夢を描こう

かなしみの数を　言い尽くすより
同じくちびるで　そっとうたおう

閉じていく思い出の　そのなかにいつも
忘れたくない　ささやきを聞く
こなごなに砕かれた　鏡の上にも
新しい景色が　映される

はじまりの朝の　静かな窓
ゼロになるからだ　充たされてゆけ

海の彼方には　もう探さない
輝くものは　いつもここに
わたしのなかに　見つけられたから

© 2001 by Studio Ghibli

おは！かぞえうた／歌：角田 師範 with 番長　作詞：角田 師範 with おはスタ文芸部

『おはッス！
　　　さあ　チカラがわいてくるかぞえうた　いってみるぞ！』
『いち！にー！さん！しー！
　　　ごー！ろく！しち！はち！くー！とお！』

ひとつ！ひとつ　1人じゃつまらない
ふたつ！ふたつ　ふやそう友だちを
おは！元気なあいさつ　してみよう
みっっ！みっっ　みんなと手をつなぎ　イェイ！
いっしょに笑える　仲間だぜ　おはッス！

　　おは　おは　おはよう！目がさめた　おはッス！
　　おは　おは　おはよう！はじまりだ

『さあ　おなかにチカラを入れて上段受け　気合い入れて！』
『いち！にー！さん！しー！
　　　ごー！ろく！しち！はち！くー！とお！おりゃー！おはッス！』

よっっ！よっっ　弱気を見せないで
いつっ！いつっ　いつでもありがとう　おは！鍛えぬけぬけ　この身体
むっっ！むっっ　むちゃくちゃ　ふんばって　イェイ！
勝っても負けても笑うのさ　おはッス！

　　おは　おは　おはよう！がんばろう　おはッス！
　　おは　おは　おはよう！負けないぞ

『いち！にー！さん！しー！』おはッス！

『ああ〜朝は眠いなあ。もうちょっと寝てようかな〜。』
『そんなんじゃだめだ！気合いを入れて弱き心をふきとばせ！』
『だってさぁ〜』
『だってもこってもないのっ、腹の底から気合いを入れて、せーの！』
『おはッス！』
『燃えてきたぁー！』

なな！ななつ　涙は　ななつ！涙は　ななつ!!涙は　見せないで
やっっ！やっっ　やめるといわないで
ここのつ！ここのつ　今度はやってやる
とう！とう　でとうとう　つかむのさ　イェイ！
でっかい夢を　手に入れよう　おはッス！

　　おは　おは　おはよう！立ち上がろう　おはッス！
　　おは　おは　おはよう！飛び出そう　おはッス！
　　おは　おは　おはよう！立ち上がろう　おはッス！
　　おは　おは　おはよう！飛び出そう

おはッス！　『いち！にー！さん！しー！』　おはッス!!

© 2001 by Katsutashihan with Ohasutabungeibu

慎吾ママの学園天国〜校門編〜／歌：慎吾ママ　作詞：阿久 悠

悩みのある子も　眠い子も
このママに　おっはーしてごらん
もうモヤモヤ　晴れていき
走っていけるよ
おっはー　朝の校門を
おっはー　エイッと駆けぬけて
ヒーローは　きみときみと
ヒロインは　きみときみ
みんな主役さ
勉強してても　しなくても
友だちにかわりはないんだよ
また帰りに　この門で
投げチュッチュ　あげましょう

失敗した子も　負けた子も
このママに　サヨナラしてごらん
泣きたいなら　この胸で
ワンワン泣きなよ
おっつー　午後の校門で
おっつー　ピョンと跳び上がり
ヒーローは　きみときみと
ヒロインは　きみときみ
みんな主役さ
花マルついても　なくっても
ピカピカの子どももいるんだよ
また明日も　この門で
投げチュッチュ　あげましょう

© 1974 by NICHION, INC. & Universal Music Publishing K.K.

君の前でピアノを弾こう／歌：河村 隆一　作詞：AK

恋をしてるよ　クレッシェンドな　ハートで
♪everyday everynight
少しクールな　瞳をしてる君にね
♪oh my baby
たまに話す時　胸が苦しい　くやしいけど
♪so beautiful days

切ない夜　手紙を書いた
きっと渡せないけど　そっとそばに届けたくて
♪ラララ・ラ　君の前で
♪ラララ・ラ　ちゃんとできたら
♪ラララ・ラ　でも言葉じゃ
♪ラララ・ラ　うまく言えないよ

いつも遠くで　君を見ている　僕だよ
♪oh my baby
話しかけたいのに　それができない　ディミニュエンド
♪so beautiful days

心の中　そのまま君に
伝えたいよメロディ　君のことが　好きだよと
♪ラララ・ラ　君の前で
♪ラララ・ラ　ピアノを弾こう
♪ラララ・ラ　下手くそでも
♪ラララ・ラ　笑わないでね

今夜　ピアニストになる

振りむいた　君に渡そう
僕の招待状　君のために　ピアノを弾こう
ほほえんだ　その瞳に　かけだしたよメロディ
伝えてよ　この気持ち
♪ラララ・ラ　君の前で
♪ラララ・ラ　ピアノを弾こう
♪ラララ・ラ　下手くそでも
♪ラララ・ラ　ちゃんと届くまで

♪ラララ・ラ　君の前で　♪心をこめて
♪ラララ・ラ　ピアノを弾こう　♪モデラートで
♪ラララ・ラ　下手くそでも　♪あきらめないよ
♪ラララ・ラ　きいていてほしい　♪君が好きだよ

ラ・ラ・ラララ...

白い恋人達／歌：桑田 佳祐　作詞：桑田 佳祐

夜に向かって雪が降り積もると
悲しみがそっと胸にこみ上げる
涙で心の灯を消して
通り過ぎてゆく季節を見ていた

外はため息さえ凍りついて
冬枯れの街路樹に風が泣く
あの赤レンガの停車場で
二度と帰らない誰かを待ってる、Woo

今宵 涙こらえて奏でる愛のSerenade（セレネイド）
今も忘れない恋の歌
雪よもう一度だけこのときめきをCerebrate（セレブレイト）
ひとり泣き濡れた夜にWhite Love

聖なる鐘の音が響く頃に
最果ての街並みを夢に見る
天使が空から降りて来て
春が来る前に微笑みをくれた、Woo

心折れないように負けないようにLoneliness（ロンリネス）
白い恋人が待っている
だから夢と希望を胸に抱いてForeverness（フォーエヴァーネス）
辛い毎日がやがてWhite Love

今宵 涙こらえて奏でる愛のSerenade（セレネイド）
今も忘れない恋の歌
せめてもう一度だけこの出発（たびだち）をCerebrate（セレブレイト）
ひとり泣き濡れた冬にWhite Love, Ah
永遠（とわ）のWhite Love
My Love

ただ逢いたくてもうせつなくて
恋しくて... 涙

ああ人生に涙あり／歌：里見 浩太朗　作詞：山上 路夫

人生楽ありゃ　苦もあるさ
涙の後には　虹が出る
歩いて行くんだ　しっかりと
自分の道を　踏みしめて

人生勇気が　必要だ
くじけりゃ誰かが　先に出る
後から来たのに　追い越され
泣くのがいやなら　さあ歩け

箱根八里の半次郎／歌：氷川 きよし　作詞：松井 由利夫

まわ廻し合羽も　三年がらす
意地の縞目も　ほつれがち
夕陽背にして　薄を噛めば
湯の香しみじみ　里ごころ

やだねったら　やだね
やだねったら　やだね
箱根八里の半次郎

寄木細工よ　色恋沙汰は
つばを外せば　くいちがう
宿場むすめと　一本刀
情けからねば　錆がつく

やだねったら　やだね
やだねったら　やだね
まして半端な　三度笠

杉の木立を　三尺よけて
生まれ在所を　しのび笠
おっ母すまねぇ　顔さえ出せぬ
積る不幸は　倍返し

やだねったら　やだね
やだねったら　やだね
箱根八里の半次郎

TSUNAMI／歌：サザンオールスターズ　作詞：桑田 佳祐

風に戸惑う弱気な僕
通りすがるあの日の幻影(かげ)
本当は見た目以上　涙もろい過去がある
止めど流る清(さや)か水よ
消せど燃ゆる魔性の火よ
あんなに好きな女性(ひと)に
出逢う夏は二度とない

人は誰も愛求めて　闇に彷徨(さまよ)う運命(さだめ)
そして風まかせ　Oh, My destiny
涙枯れるまで

見つめ合うと素直にお喋り出来ない
津波のような侘(わび)しさに
I know‥‥　怯（おび）えてる, Hoo‥‥
めぐり逢えた瞬間(とき)から　魔法が解けない
鏡のような夢の中で　思い出はいつの日も雨

夢が終わり目醒める時　深い闇に夜明けが来る
本当は見た目以上　打たれ強い僕がいる

泣き出しそうな空眺めて　波に漂うカモメ
きっと世は情け　Oh, Sweet memory
旅立ちを胸に

人は涙見せずに大人になれない
ガラスのような恋だとは
I know‥‥　気付いてる, Hoo‥‥
身も心も愛しい女性(ひと)しか見えない
張り裂けそうな胸の奥で
悲しみに耐えるのは何故？

見つめ合うと素直にお喋り出来ない
津波のような侘(わび)しさに
I know‥‥　怯(おび)えてる, Hoo‥‥
めぐり逢えた瞬間(とき)から　死ぬまで好きと言って
鏡のような夢の中で
微笑(ほほえみ)をくれたのは誰？
好きなのに泣いたのは何故？
思い出はいつの日も雨

明日があるさ ／歌：ウルフルズ　作詞：青島 幸男

いつもの駅でいつも逢う
セーラー服のお下げ髪
もうくる頃　もうくる頃
今日も待ちぼうけ
明日がある　明日がある　明日があるさ

ぬれてるあの娘コウモリへ
さそってあげよと待っている
声かけよう　声かけよう
だまって見てる僕
明日がある　明日がある　明日があるさ

今日こそはと待ちうけて
うしろ姿をつけて行く
あの角まで　あの角まで
今日はもうヤメタ
明日がある　明日がある　明日があるさ

思いきってダイヤルを
ふるえる指で回したよ
ベルがなるよ　ベルがなるよ
出るまで待てぬ僕
明日がある　明日がある　明日があるさ

はじめて行った喫茶店
たった一言好きですと
ここまで出て　ここまで出て
とうとう云えぬ僕
明日がある　明日がある　明日があるさ

明日があるさ明日がある
若い僕には夢がある
いつかきっと　いつかきっと
わかってくれるだろう
明日がある　明日がある　明日があるさ

明日があるさ　TVドラマ「明日があるさ」主題歌／歌：Re:Japan　作詞：青島 幸男

いつもの駅でいつも逢う
セーラー服のお下げ髪
もう来る頃　もう来る頃　今日も待ちぼうけ
明日がある　明日がある　明日があるさ

ぬれてるあの娘コウモリへ
さそってあげようと待っている
声かけよう　声かけよう　だまって見てる僕
明日がある　明日がある　明日があるさ

修学旅行のバスの中
隣り合わせになれたのに
何もできず、何もできず　寝たふりしてるだけ
明日がある　明日がある　明日があるさ

いつもの駅でいつも会う
詰め襟姿のシャイな奴
今日もいない　今日もいない
風邪でもひいたかな
明日がある　明日がある　明日があるさ

今日こそはと待ちうけて
うしろ姿をつけて行く
あの角まで　あの角まで　今日はもうヤメタ
明日がある　明日がある　明日があるさ

やきそば売ってる模擬店で
声かけられて驚いた
あの娘がいる　あの娘がいる
コソコソ逃げる僕
明日がある　明日がある　明日があるさ

思い切ってダイヤルを
ふるえる指で回したよ
ベルがなるよ　ベルがなるよ
出るまで待てぬ僕
明日がある　明日がある　明日があるさ

フォークダンスのパートナー
めぐり巡って僕の番
手をつなごう　手をつなごう　そこで目が覚めた
明日がある　明日がある　明日があるさ

徹夜で書いたラブレター
そっとあの娘のロッカーに
忍ばせよう　忍ばせよう　いつでも誰かいる
明日がある　明日がある　明日があるさ

ラケット握って、あの人と
ダブルス組めたら、嬉しいな
部活をやろう　部活をやろう　でも僕、文化系？
明日がある　明日がある　明日があるさ

はじめて行った喫茶店
たった一言好きですと
ここまで出て　ここまで出て
とうとう云えぬ僕
明日がある　明日がある　明日があるさ

明日があるさ明日がある
若い僕には夢がある
いつかきっと　いつかきっと
わかってくれるだろう
明日がある　明日がある　明日があるさ

ゆかいな鼓笛
模範演奏
練習用カラオケ(CD付)
合奏曲集 ❶

模範演奏&練習用カラオケ《CD付》

ゆかいな鼓笛合奏曲集〔全5巻〕

- ■ 屋外、屋内を問わず演奏できる小編成の合奏曲集
- ■ アニメ、ポップス、マーチ、世界の民謡、クラシック、季節の行事の曲など、魅力ある曲、挑戦したい曲を幅広いジャンルから選曲し、楽しいリズムにのせてアレンジしました
- ■ 付属のCDの練習用カラオケで、子どもたちの自主的な取り組みができます

定価/各巻〔本体3,500円+税〕

1 【曲目】オブラディ・オブラダ／この木なんの木／ミッキーマウス・マーチ／ラ・ラ・ルー／となりのトトロ／大きな栗の木の下で／草競馬／赤い河の谷間／花祭り／Y.M.C.A.／これが私の生きる道／聖者の行進／アマリリス／もみの木／ほたるの光

2 【曲目】シング／小さな世界／チム・チム・チェリー／君をのせて／森のくまさん／アヴィニョンの橋の上で／さらばジャマイカ／てんとう虫のサンバ／プライド／アロハ・オエ／茶色の小瓶／ジングル・ベル／仰げばとおとし

3 【曲目】雨にぬれても／エーデルワイス／ハイ・ホー／さんぽ「となりのトトロ」より／鉄腕アトム／リパブリック賛歌／おおブレネリ／エル・クンバンチェロ／いとしのエリー／花／きらきら星／きよしこの夜／贈る言葉

4 【曲目】トップ・オブ・ザ・ワールド／ドレミの歌／星に願いを／イエロー・サブマリン／WAになっておどろう／もののけ姫／錨を上げて／オーラ・リー／シェリト・リンド／アメイジング・グレイス／いい日旅立ち

5 【曲目】ジャンバラヤ／グリーン・グリーン／ピカピカまっさいちゅう／アンパンマンのマーチ／フニクリ・フニクラ／かわいいあの娘／アルプス一万尺／スカボロ・フェア／ボレロ／士官候補生／おどるポンポコリン／POWER／旅立ちの時

エー・ティー・エヌのホームページでは、1,200曲を越えるレパートリーの中から、お気に入りの選曲ができる曲目索引を用意してあります。ぜひ、ご利用ください。　**http://www.atn-inc.jp**

ATN, inc.

鼓笛バンド
Jポップ ファン

発　行　日　2001年12月10日（初版）
監　　　修　ミュージック・ステーション
イ ラ ス ト　塚田 幸夫
発行・発売　株式会社 エー・ティー・エヌ
©2001 by ATN,inc.

4369
JASRACの承認により許諾証紙貼付免除

日本音楽著作権協会（出）許諾第 0115375 - 101 号

住　　　所　〒161-0033
東京都新宿区下落合 3-12-21 目白エミネンス102
TEL 03-6908-3692 / FAX 03-6908-3694　75) 6983
ホームページ　http://www.atn-inc.jp

（許諾番号の対象は、当該出版物中、当協会が許諾することのできる著作物に限られます。）